JUV
SPAN
649.125
GON

D1061062

SABER PARA VIVIR

¿POR QUÉ NO ME ENTIENDEN MIS PADRES?

EDITA

Nova Galicia Edicións, S.L.
Avda. Ricardo Mella, 143 Nave 3
36330 – Vigo (España)
Tel. +34 986 462 111
Fax. +34 986 462 118
http://www.novagalicia.com
e-mail: novagalicia@novagalicia.com

Depósito legal: VG: 796-2006
ISBN obra completa: 84-96293-93-9
ISBN volumen: 84-85401-23-9

IMPRESIÓN
Alva Gráfica, A Coruña

EDITOR
CARLOS DEL PULGAR SABÍN

DIRECCIÓN Y COORDINACIÓN
ELISARDO BECOÑA IGLESIAS

AUTOR DEL LIBRO
EMILIANO MARTÍN GONZÁLEZ

FOTOGRAFÍA
XULIO GIL RODRÍGUEZ

DISEÑO Y MAQUETACIÓN
NOVA GALICIA EDICIÓNS, S.L.

INFOGRAFÍA
NOVA GALICIA EDICIÓNS, S.L.

TRADUCCIÓN Y REVISIÓN LINGÜÍSTICA
NOVA GALICIA EDICIÓNS, S.L.

Las imágenes que aparecen en este libro han sido tomadas en situaciones ficticias, creadas expresamente para ello. No corresponden a comportamientos habituales de las personas que aparecen en ellas.

Nova Galicia Edicións agradece la colaboración de todas las personas que han participado desinteresadamente en la realización de las fotografías.

¿POR QUÉ NO ME ENTIENDEN MIS PADRES?

Emiliano Martín González

NOVA GALICIA EDICIÓNS

SABER PARA VIVIR

Títulos de la colección

Tabaco

Alcohol

Drogas

Violencia escolar

Sexualidad

Adicción a nuevas tecnologías

Emociones y sentimientos

Estudiar mejor... todo un deporte

Consumismo

¿Por qué no me entienden mis padres?

INDICE

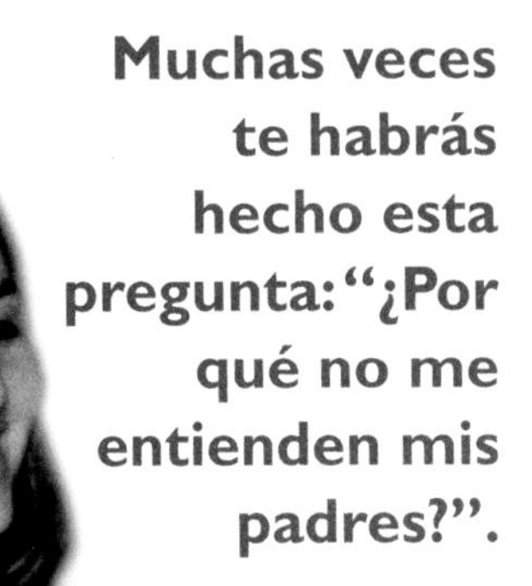

Muchas veces te habrás hecho esta pregunta: "¿Por qué no me entienden mis padres?".

Introducción

Acabáis de discutir por el dichoso teléfono, por la falda tan corta, por lo tarde que llegas cada noche, por el desorden de tu habitación… y has salido dando un portazo y a voces del salón. Después, en el parque con tu mejor amigo, te has desahogado con comentarios como estos: "No comprendo cómo pueden ser así, no están en este mundo, parecen de otro planeta. No les gusta nada de lo mío: ni mi ropa, ni mi pelo, ni mi música… ni siquiera mis amigos. Siguen tratándome como a un crío. A veces creo que incluso les molesta que me lo pase bien…".

Y si has sido más atrevido y has llegado a plantear este tema ante un grupo de adultos (tíos, vecinos, abuelos…), probablemente habrás observado sonrisas y miradas burlonas. Pero no creas que eso demuestra la seguridad de los mayores, al contrario, lo que denota es puro nerviosismo.

Habrás comprobado que se hace un silencio denso o que se limitan a darte respuestas evasivas: "Te entienden más de lo que tú te crees" o "tú eres el que tienes que entenderles a ellos, que por algo son tus padres".

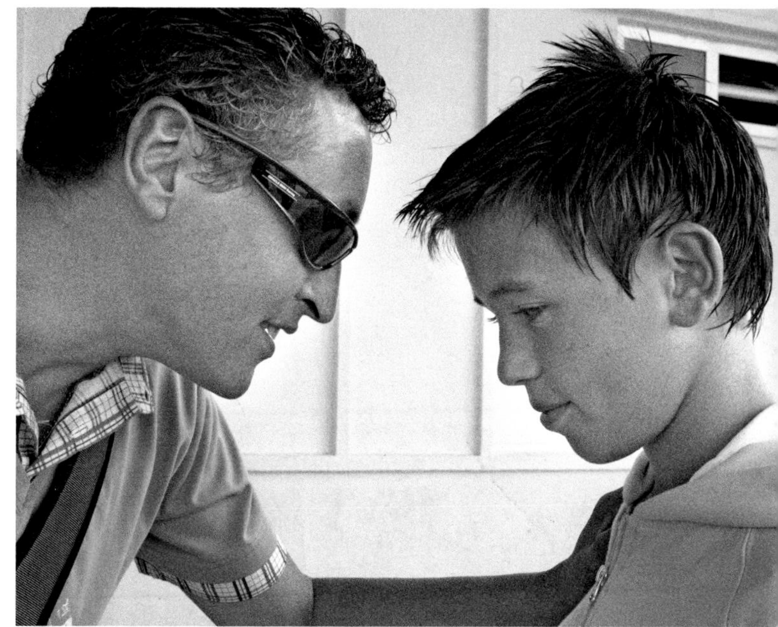

Las dificultades de entendimiento entre adolescentes y padres obedecen a numerosas razones, algunas muy sencillas y otras más complicadas de explicar. En este libro te presentamos una serie de datos y argumentos para facilitarte que puedas encontrar tus propias respuestas a esta pregunta y, lo que es más importante, te aportamos algunas claves para que sepas ayudar a tus padres a que te comprendan mejor.

▸▸▸ Piensa que comunicarte con tus padres puede parecerte ahora muy difícil, pero hay muchas formas de lograrlo y, con el tiempo, te será cada vez más fácil. Cuando esta etapa de crecimiento en la que te encuentras haya acabado, es muy probable que vuelvas a sentirte muy cerca de ellos y que os comuniquéis a otro nivel, entre adultos que se respetan y se quieren.

El club de los extraños y distintos

Hace poco tiempo aparecía en un periódico de gran tirada en nuestro país un artículo preocupante que evidencia la visión tan pesimista que no pocos adultos tienen sobre los adolescentes. En él se vertían afirmaciones tan tremendas como ésta: "Estamos ante la generación de quinceañeros más egocéntrica, maleducada, escandalosa y autodestructiva".

Y continuaba: "Los adolescentes no se identifican con el resto de los ciudadanos ni estos con los adolescentes".

Para concluir: "Quizá la única alternativa de acercamiento entre los chavales y los demás será asumir que no tienen un problema porque fumen porros o adoren la violencia en los videojuegos, sino que son así: extraños, distintos".

▸▸▸ Ignoramos si te ves reflejado en los "adolescentes" de los que habla este artículo pero, si tienes entre once y diecinueve años, ya formas parte de ese "terrible club de los extraños y los distintos", lo quieras o no.

Si, como suponemos, no aceptas esta visión de los adolescentes y te rebelas contra ella, al menos tendrás que saber que se trata de una opinión bastante extendida. Esas afirmaciones traducen de algún modo (tal vez excesivo) un sentimiento que existe en la sociedad.

Muchas personas tienen una idea muy negativa de la adolescencia, la ven como una etapa oscura, amenazadora, llena de problemas y conflictos.

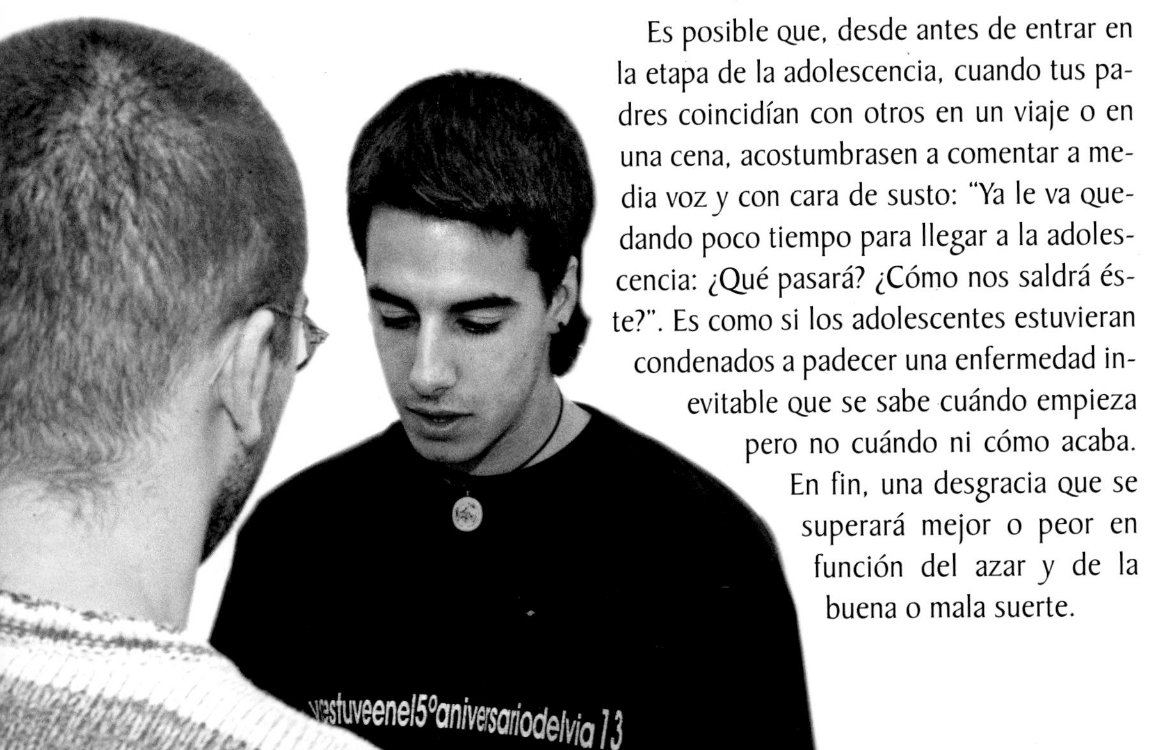

Es posible que, desde antes de entrar en la etapa de la adolescencia, cuando tus padres coincidían con otros en un viaje o en una cena, acostumbrasen a comentar a media voz y con cara de susto: "Ya le va quedando poco tiempo para llegar a la adolescencia: ¿Qué pasará? ¿Cómo nos saldrá éste?". Es como si los adolescentes estuvieran condenados a padecer una enfermedad inevitable que se sabe cuándo empieza pero no cuándo ni cómo acaba. En fin, una desgracia que se superará mejor o peor en función del azar y de la buena o mala suerte.

Los medios de comunicación desempeñan también un papel muy importante en la difusión de esta imagen de los adolescentes. Muchas noticias que aparecen en el periódico, la radio o la televisión asocian con demasiada frecuencia la adolescencia con la violencia, los disturbios callejeros, el consumo de drogas... Esta imagen tan superficial, agresiva y hasta pintoresca de los adolescentes provoca entre muchos adultos miedo y rechazo hacia este grupo de edad. Y numerosos padres comparten también estos temores y esos recelos.

▸▸▸Esta es la primera razón importante para explicar que tus padres no te entiendan y que sientas a veces una barrera invisible entre ellos y tú: una visión negativa y pesimista de la adolescencia como una lucha entre generaciones, en la que hay vencedores y vencidos y en la que los conflictos y las peleas son frecuentes e inevitables.

Esta frase podría resumir el estado de ánimo de un adolescente que creyera tantas cosas como se dicen sobre la adolescencia. Por eso, lo primero que debemos aclarar es en qué consiste la adolescencia, esa etapa de la vida en la que te encuentras.

"Padezco de adolescencia... ¿es tan grave como dicen?"

La adolescencia supone el tránsito entre la infancia y la edad adulta. Este fenómeno psicológico y social comienza con un cambio biológico muy importante denominado pubertad que supone la maduración sexual y reproductora. La relación entre todos estos factores (crecimiento, desarrollo sexual, cambios psicológicos e intelectuales, etc.) es muy compleja.

Se trata, por tanto, de un período crítico de la vida. Estos períodos suelen estar llenos de cambios y, como todos sabemos, a casi nadie le gustan los cambios porque

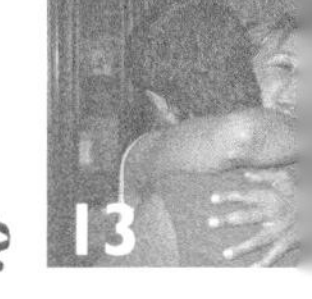

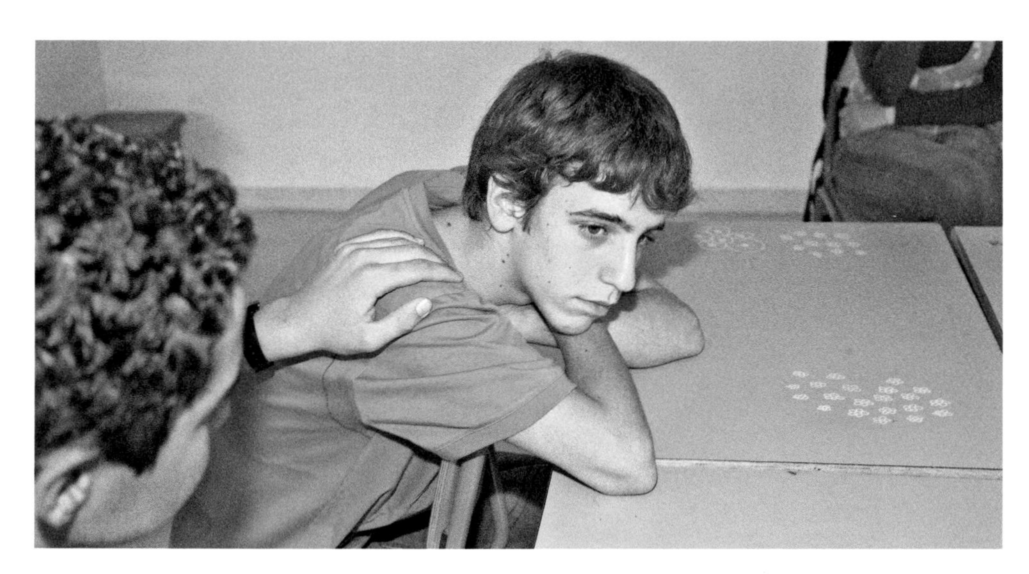

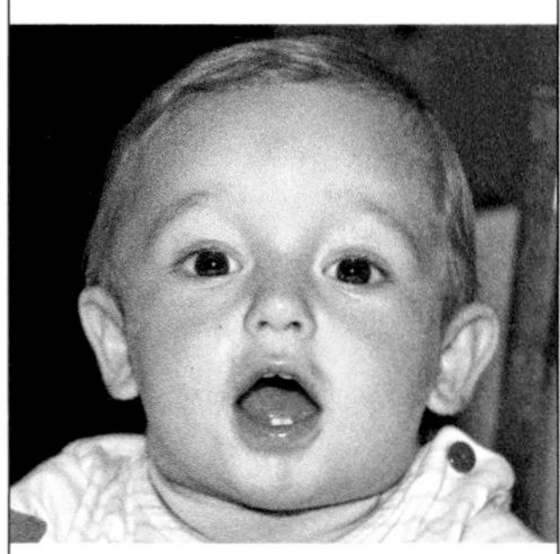

exigen muchos esfuerzos que a menudo acarrean dificultades y conflictos.

Sin embargo, debemos dejar bien claro que la adolescencia no es una enfermedad. Muy al contrario, hay que tener presente que sin cambios no se avanza ni se progresa en la vida. Por eso, la adolescencia es una etapa difícil pero también es una etapa creativa, llena de oportunidades y una de las más importantes en la vida de una persona. Piensa que muchas de las decisiones que tomes ahora afectarán a tu futuro.

Debemos asumir esto y transmitirlo a los adultos para ayudarles a superar sus prejuicios, explicándoles que no todos los adolescentes son iguales. No existe una adolescencia sino muchos adolescentes ya que cada cual hace su propio proceso personal. Claro que hay adolescentes que viven problemas gra-

ves (violencia, drogas, abortos...), pero afortunadamente no son la mayoría y, en cualquier caso, esos problemas no surgen por azar, existen múltiples causas que explican su aparición.

Estas diferencias entre adolescentes se observan incluso en las edades de inicio y de finalización de la adolescencia, que tiene unos límites muy imprecisos. Suele durar como mínimo diez años y en los últimos tiempos está tendiendo a prolongarse: se adelanta porque la pubertad es más precoz y se atrasa porque cada vez los procesos formativos son más largos y los jóvenes tardan más en emanciparse de sus padres. También hay que tener en cuenta que, en general, el desarrollo suele ser anterior en las chicas que en los chicos.

Para tener una idea aproximada de la evolución de esta etapa, la adolescencia suele agruparse en tres fases, que son:

- **Adolescencia temprana:** entre los once y los trece años. Se caracteriza porque se cuestiona a los padres y se les baja del pedestal.
- **Adolescencia media:** entre los catorce y los dieciséis años. Tiempo de decisiones y de inseguridades, de revisar opiniones y creencias.
- **Adolescencia tardía:** entre los diecisiete y los diecinueve años. Identidad adulta, independencia emocional, aceptación más realista de los padres...

▸▸▸ La segunda respuesta a tu pregunta guarda relación, por tanto, con el hecho de que la adolescencia es una etapa difícil y complicada de entender para tus padres. Por eso es tan importante insistir en que se trate, ante todo, como una etapa de búsquedas, de aprendizajes y de grandes oportunidades en la vida de cualquier ser humano.

Muchos cambios en los hijos...

Si algo tenemos claro hasta ahora es que adolescencia es sinónimo de cambios. Ahora bien, aunque siempre se habla de los cambios de los adolescentes y de los problemas que provocan en las familias, muy pocas veces se explica por qué se producen y cómo deben entenderse estos cambios. ¿Cuáles son los principales cambios de los adolescentes que pueden afectar más directamente a las relaciones con los padres?:

Cambios en los adolescentes

❙ El primero es la maduración física y sexual que representa la pubertad. Te ves de manera distinta a cuando eras niño y, algo muy importante, los demás te ven de manera distinta y te tratan de manera distinta. Esto lo notan más pronto y de forma más intensa las chicas.

❙ Sobre todo en la adolescencia temprana (entre los once y trece años), los cambios hormonales afectan también a tu estado de ánimo (provocando altibajos emocionales, irritabilidad, estados depresivos...) y a tu

deseo y actividad sexual. Por eso, el adolescente necesita reconocer sus emociones sobre las cosas que le asustan y le inquietan y poder expresarlas con la seguridad de que siempre encontrará una mano tendida. Esto es algo que debes saber tú y que deben saber tus padres porque hace que, a partir de ahora, sean más complejas las relaciones con los otros chicos y más complicadas las relaciones con los padres que se empiezan a preocupar más por las salidas y los contactos que mantienes.

- La capacidad intelectual, entre los doce y los quince años, sufre un avance muy importante: aparece el pensamiento operativo formal, esto es, empiezas a pensar de un modo más abstracto y racional, lo que te permite, entre otras muchas cosas, comprender y valorar las normas familiares de una forma diferente.

Esto te convierte en ocasiones en una persona más crítica y con argumentos más sólidos y convincentes, a los que tus padres no están acostumbrados.

Lo más característico de la adolescencia es, sin ninguna duda, el proceso de búsqueda y exploración de tu propia identidad personal o, dicho de otro modo, de averiguar quién eres y qué quieres hacer en la vida. Para lograr ser tú mismo, tratas de vivir nuevas sensaciones y experiencias. En esta aventura puedes encontrar dificultades para calcular los riesgos que conllevan muchos de tus comportamientos. Esto explica que tus padres muchas veces te pongan límites y normas (de regreso a casa, de asistencia a determinados lugares, de salir con ciertas personas...) que tú encuentras excesivos. Ellos, desde su experiencia, tienen miedo de que te veas metido en situaciones peligrosas o de riesgo.

Muy relacionado con lo anterior, se encuentra el hecho de que estás empezando a pasar cada vez más tiempo con los amigos que, además, son cada vez más importantes en tu vida. Esto puede provocar situaciones problemáticas con tus padres. Por una parte, es posible que ellos no estén muy de acuerdo con algunas de tus amistades. Por otra, también puede ocurrir que sientan que con estas relaciones los vas apartando de ti.

▸▸▸ Otra nueva respuesta a tu pregunta: quizás tus padres no te entienden sencillamente porque no es fácil entenderte. Estás viviendo tantos cambios que incluso los padres más preparados, atentos y comprensivos difícilmente van a poder seguirte en este proceso, sobre todo los primeros años, que son los más duros porque os cogen a todos por sorpresa.

...y muchos cambios en los padres

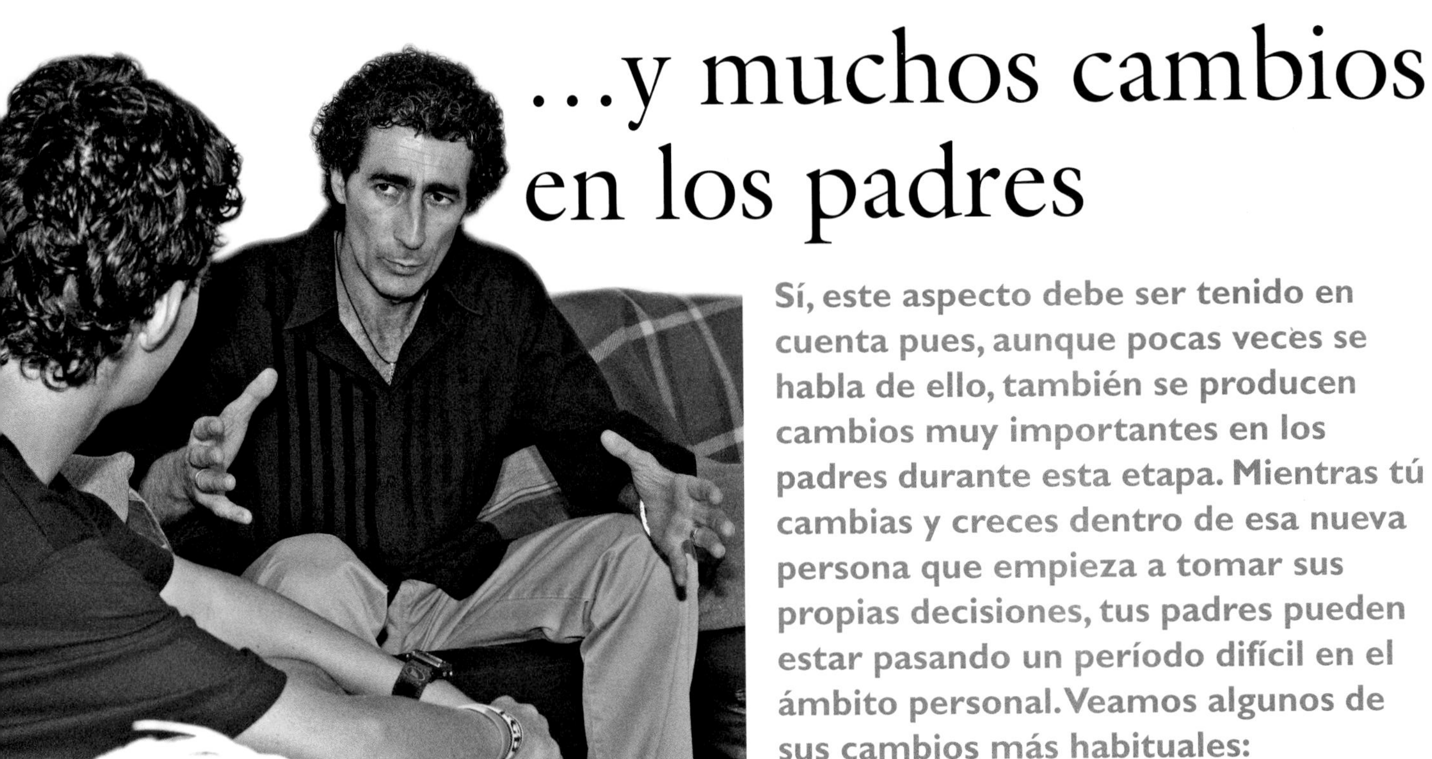

Sí, este aspecto debe ser tenido en cuenta pues, aunque pocas veces se habla de ello, también se producen cambios muy importantes en los padres durante esta etapa. Mientras tú cambias y creces dentro de esa nueva persona que empieza a tomar sus propias decisiones, tus padres pueden estar pasando un período difícil en el ámbito personal. Veamos algunos de sus cambios más habituales:

Cambios en los padres

❙ La adaptación a la nueva situación. Ellos todavía no están acostumbrados a tu nuevo ser, sólo te conocen como el niño por el que tomaban decisiones cada día y al que no le importaba que decidieran por él. Por eso necesitan hacer esta adaptación que, en la mayoría de las familias, es la que suele causar más peleas y conflictos entre padres e hijos adolescentes.

❙ Además, para muchos padres resulta muy difícil asumir que su hijo deje de ser "su niño", espe-

cialmente si eres hijo único u ocupas el último lugar de los hermanos. Debes tener en cuenta que para ellos finaliza una etapa en la que con toda seguridad han sido muy felices realizando su papel de padres y sienten que esto se les acaba.

Por otro lado, si tú estás viviendo un período crítico de tu vida, considera que tus padres pueden estar viviéndolo también. Probablemente tendrán una edad entre los 40 y los 50 años, es decir,

han llegado a la mitad de la vida y esto es algo que muchos adultos llevan con dificultad: les empieza a preocupar su salud y su atractivo físico, ven cada vez más inalcanzables algunos sueños de su juventud, se cuestionan aspectos de su vida como el tipo de trabajo que hacen y lo poco que disfrutan de ella... Por ejemplo, a muchos padres les gustaría poder dedicar más tiempo a su vida personal y familiar y no llegar tan tarde y tan cansados a casa.

❙ Finalmente, un cambio muy importante tiene que ver con la compleja sociedad en la que vivimos y que afecta a padres y adolescentes. Para demostrar su experiencia, los padres suelen argumentar que ellos también fueron adolescentes y llevan parte de razón.

Sin embargo, la época en la que tus padres vivieron su adolescencia tiene muy poco que ver con la actual y muchas cosas que para ellos eran muy importantes hoy tienen escaso valor. Deben entender que hacerse adulto en esta sociedad es más complicado que en otras. Es cierto que existen más medios y más comodidades, pero también menos seguridad en todo y más dificultad de tomar decisiones de cara al futuro: hay muchas más opciones y los cambios son muy rápidos.

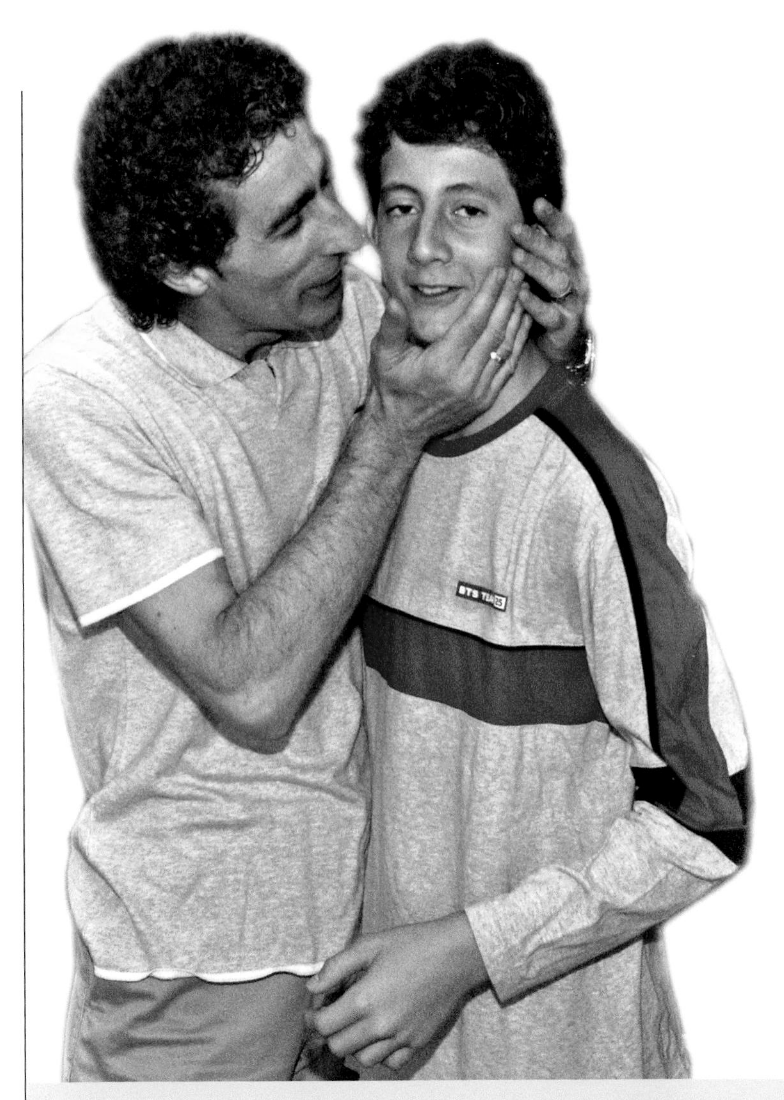

▸▸▸ En consecuencia, aquí tienes una respuesta con la que sin duda no contabas: has descubierto que tus padres no son esos seres perfectos que creías en la infancia, también son personas y tienen sus propios problemas y dificultades. Además, ellos también deben aprender y madurar como padres.

Adolescentes y padres: dos formas de ver el mundo

La ropa que llevas, lo que comes, a dónde vas y cómo vas vestido, la gente con la que sales, a qué hora vuelves a casa y a qué hora te vas a la cama, el color de las paredes de tu habitación o que te guste cubrir las paredes con pósteres de tus grupos de música preferidos... son sólo sencillos ejemplos de los cientos de cosas que tus padres y tú veis de manera distinta.

Te preguntarás: "¿Qué tendrán en común todas estas cosas?" Si te fijas bien, todo esto lo controlaban tus padres cuando eras un niño. Como niño, tú no tenías ni voz ni voto sobre lo que ocurría con muchas cosas de tu vida; tus padres decidían desde el cereal que tomabas en el desayuno hasta el pijama que te ponías para ir a dormir. Esto era bueno y además era lógico. Los niños necesitan este tipo de protección y cuidados porque ellos no son suficientemente maduros para cuidarse y tomar decisiones delicadas por sí mismos.

▸▸▸ Pero los niños crecen y se hacen adolescentes y, como veíamos antes, una característica fundamental de la adolescencia es desarrollar tu propia identidad. Es normal que los adolescentes elaboren sus propias opiniones, pensamientos y valores sobre la vida; sólo así se pueden preparar para la edad adulta.

Pero sientes que esta identidad te separa de la de tus padres. Es normal que sea así. Tenéis dos formas de ver el mundo porque las etapas de la vida en las que os encontráis unos y otros son distintas. Los adolescentes tendéis a aplicar la lógica y a combatir las contradicciones que veis en vuestra familia y en la sociedad, a contemplar todas las posibilidades, al idealismo... Podría decirse que el adolescente tiene abiertas las puertas de par en par ante el futuro. Sin embargo, el adulto se aferra más a los proyectos y compromisos de su vida familiar y laboral, tratando de asumir las contradicciones y conflictos que le generan desde una visión más pragmática de la realidad. Su situación es muy diferente según va cumpliendo años, las opciones se van reduciendo.

De la confrontación de esas dos visiones de la vida surgen muchos choques y desacuerdos. Por eso

es tan importante el conocimiento mutuo y el diálogo. No se debe entender como un choque inevitable del que debe salir un vencedor y un perdedor. Es necesario asumir las diferencias y tratar de buscar puntos de encuentro complementarios entre padres e hijos. Un adolescente inteligente no puede pasar por alto las experiencias y conocimientos de sus padres, igual que unos padres inteligentes no deben perder la oportunidad de enriquecerse con la experiencia de tener un hijo adolescente.

▸▸▸ Ya tienes una quinta respuesta: los padres y los adolescentes tienen dos formas de ver el mundo. Dos formas distintas, pero no contrarias… al menos, no tienen por qué serlo.

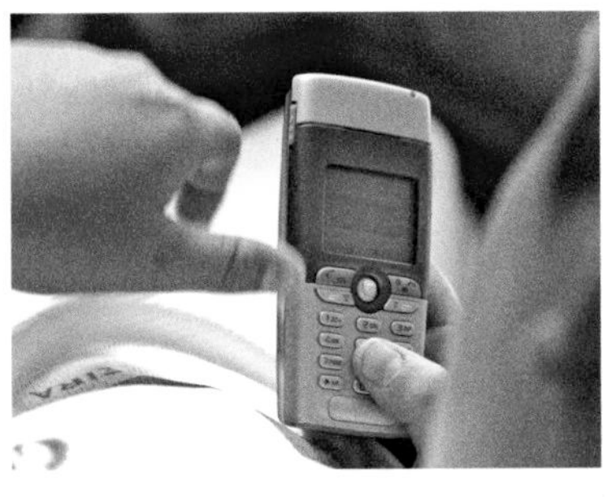

Todas estas diferencias que hemos comentado afectan a la comunicación entre tus padres y tú. Provocan que en casa te sientas muchas veces incomprendido, incomunicado, como cuando estás "fuera de cobertura" con el móvil. Hay un chiste que dice que la comunicación en la familia actual es muy difícil porque "los padres utilizan el lenguaje analógico y los hijos, el digital".

En casa me siento "fuera de cobertura"

Ahora hablando en serio, cuando eras pequeño, tus padres (sobre todo, tu madre) eran las primeras personas con las que compartías tanto las buenas noticias como los problemas. ¿Qué está ocurriendo ahora? ¿Por qué entonces te era tan fácil hablar con los padres y ahora te resulta tan duro?

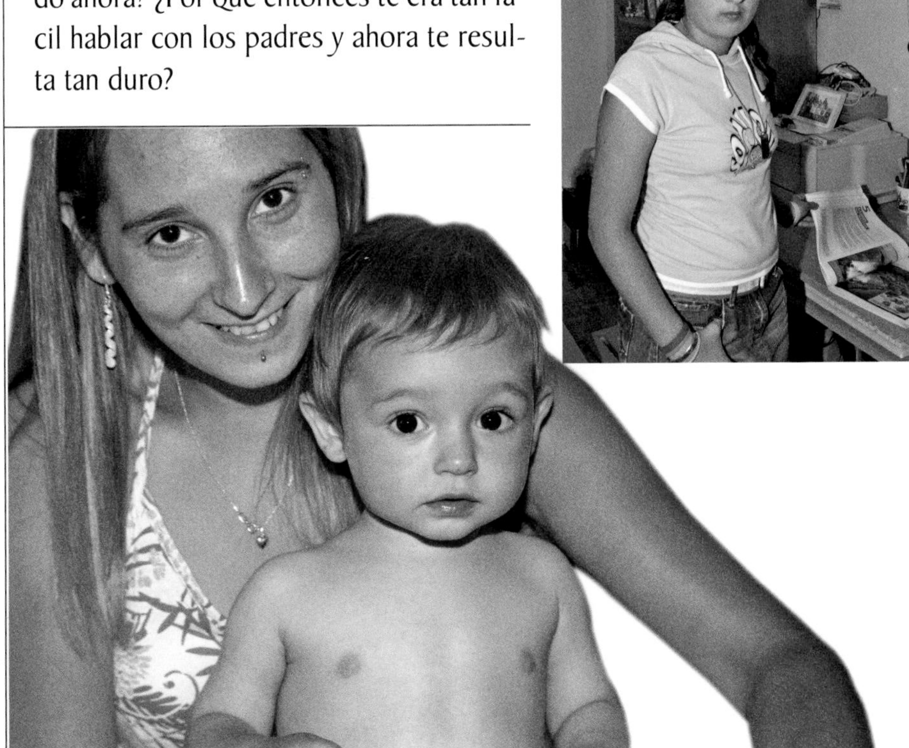

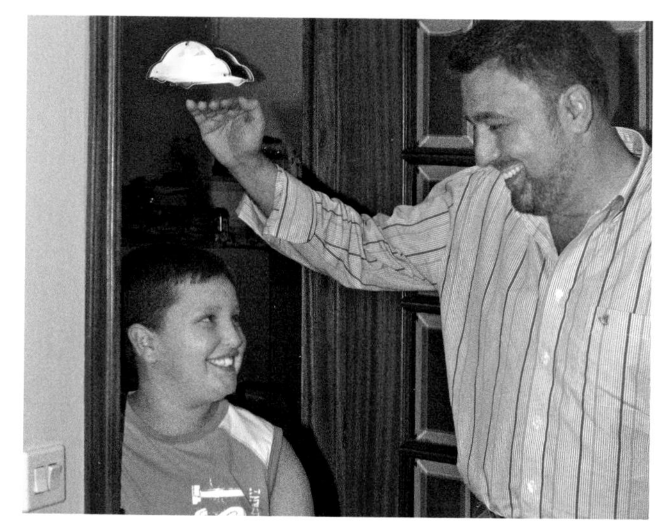

Como veíamos antes, durante la pubertad no sólo cambia y se desarrolla tu cuerpo. Tu mente está creciendo también y este desarrollo emocional afecta a tus relaciones, a todas. Así, está comprobado que las relaciones con algunos amigos se hacen más profundas mientras que otras simplemente se acaban. De igual modo, las relaciones de hace tiempo, como las que tenías con tus padres, van a cambiar también.

Todo tiene que ver con que se está estableciendo la identidad única y los intereses que te harán un adulto independiente y responsable. No sólo es ésta una etapa donde se desarrollan mayores habilidades para resolver problemas y para hacer elecciones responsables, también estás examinando diferentes valores e ideas y haciendo un auto-descubrimiento mayor que en cualquier otro momento de tu vida.

No es difícil ver cómo estos cambios pueden interferir en la comunicación con tus padres:

- Tú estás más seguro de tu capacidad para decidir cosas y resolver problemas por ti mismo, pero tus padres pueden verte todavía como el niño pequeño que delega sobre ellos para decidir.
- Tú estás intentando nuevas formas de ver la vida y nuevas creencias, pero éstas pueden no ser las mismas que las que tienen tus padres.

Aunque es importante para los adolescentes separarse de ellos como forma de descubrir su propia identidad, el proceso de separación es una maniobra muy delicada y será una de las que te lleve más tiempo y mayores esfuerzos de los diferentes conflictos que tengas con tus padres.

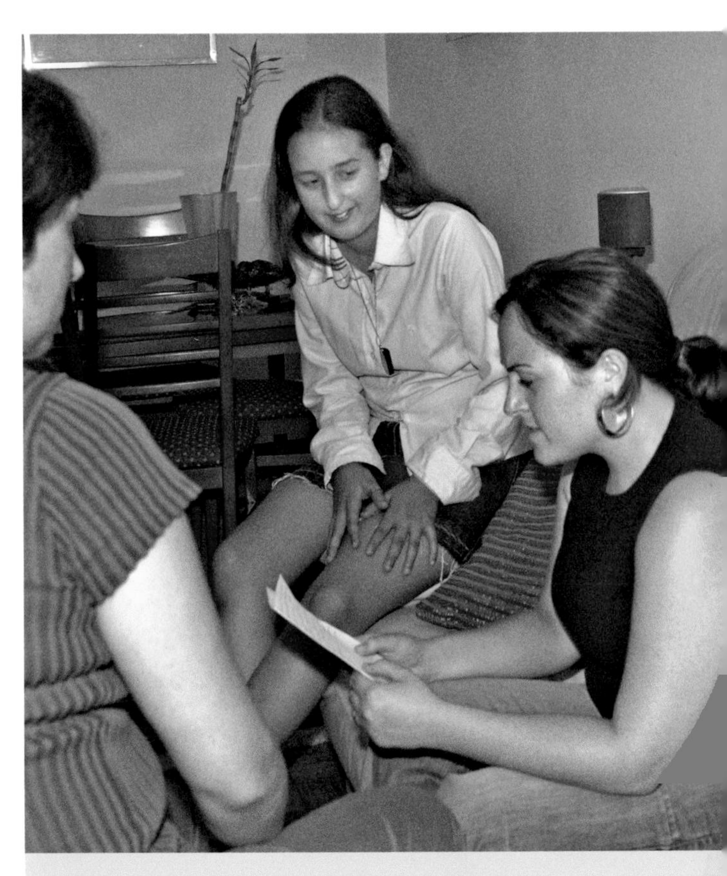

Para realizar la separación, algunos chicos pueden mostrarse en desacuerdo, enfrentados y en rebeldía con sus padres. El sentimiento de inseguridad les lleva a autoafirmarse constantemente frente a ellos. Otros pueden querer hacer oír sus opiniones pero las mantienen reprimidas porque no quieren disgustar a sus padres. Incluso hay quienes tienen sentimientos de culpa por intentar cuestionar la imagen de unos padres a los que siguen queriendo.

Todos estos cambios pueden hacer sentirse confuso a alguien que haya tenido una buena relación con sus padres y que quiera seguir teniéndola. Aunque mucha gente piense lo contrario, recientes estudios sociológicos realizados en nuestro país dicen que la mayoría de los adolescentes tienen mucha confianza en su familia como lugar de aprendizaje para entender el mundo y que están deseando hablar más con sus padres.

▸▸▸ **Así que, ahora que has encontrado algunas explicaciones lógicas a la dificultad de ser entendido por tus padres, ¿qué puedes hacer para asegurarte que tu voz no sea sólo oída sino también escuchada en tu familia? ¿Estás dispuesto a facilitar un diálogo sincero con tus padres? ¿Cómo hacerlo sin herirles y mostrándoles que siguen teniendo tu cariño? Veamos una serie de estrategias que pueden serte de utilidad.**

Mantener abiertas las líneas de comunicación

¿A qué persona acudes en primer lugar para hablar de las cosas que te interesan? Si eres como la mayoría de chicos, lo más probable es que compartas estos sentimientos con un amigo antes que con tus padres.

Pero piensa que debes mantener también las líneas de comunicación abiertas con tus padres. La mejor herramienta que puedes usar en la comunicación con ellos es conversar, no importa de qué.

Las relaciones fuertes dependen sustancialmente de mantener las líneas de comunicación abiertas (piensa en algún amigo cercano y en cuánto hablas con él). Intenta hablar con tus padres sobre las cosas que te pasan cada día y trata de establecer lazos y conexiones.

Esto no significa contarles todo, sino prepararlos para el cambio: pregúntales por su día (sencillamente como ellos han hecho siempre contigo al llegar del colegio).

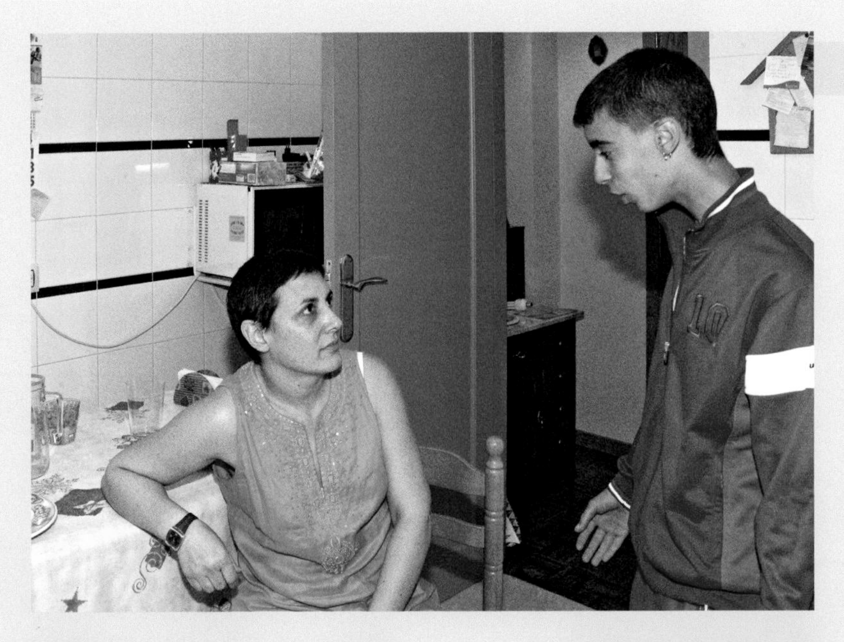

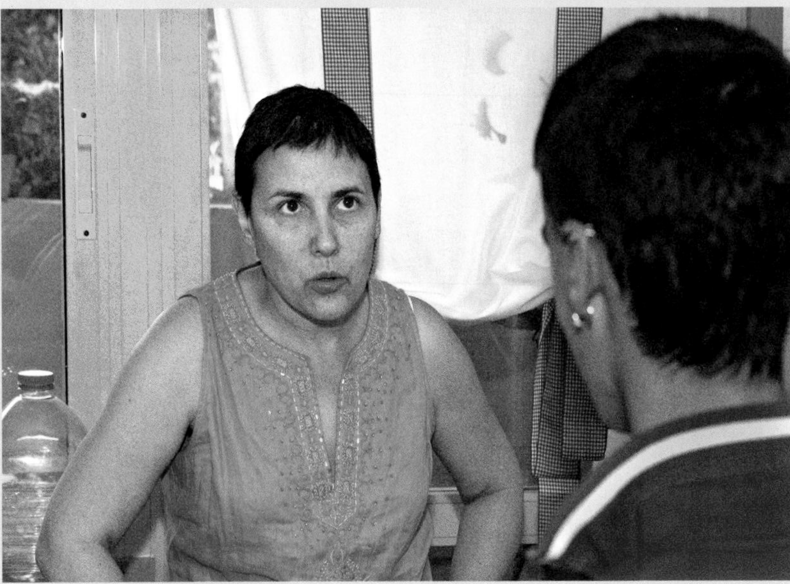

Historia de Mario

Mario, de quince años, descubrió por propia experiencia cómo una falta de comunicación puede hacer crecer los problemas. Mario dijo en una cena que quería dejar el equipo de baloncesto en el que llevaba jugando desde pequeño. La madre no paró de hacerle preguntas. Para él era como si ella simplemente no aceptara ningún tipo de razones y en sus últimas preguntas sintió la presión para que no tomara esa decisión. También le parecía que ella se metía demasiado en algo que él quería decidir por sí mismo. Mario no volvió a compartir más detalles con ella y en vez de decirle por qué había tirado tantos años de esfuerzo por la borda y expresarle cómo se sentía, decidió que no volvería a decirle lo que iba a hacer en el futuro. Desgraciadamente, esto creó una barrera en la confianza entre los dos.

Lo que Mario no vio fue que su madre no estaba intentando presionarle. Ella estaba realmente interesada en sus actividades y quería mostrarle su apoyo. No tenía ni idea de que Mario encontraba sus preguntas entrometidas. Al no hablar de ello, su desentendimiento creció. Cuando Mario dejó de hablar a su madre sobre sus amistades y sus actividades, ella creyó que estaba escondiendo algo raro. Empezó a poner barreras y límites que Mario encontró irrazonables.

Una mejor aproximación por parte de Mario hubiera sido hablar a su madre, racionalmente, sobre la presión que estaba sintiendo con los estudios y su incapacidad de sacar adelante todo lo que hacía.

Quizás pueda ayudarte para mantener abiertas las vías de comunicación el hecho de conocer los tres errores más habituales que cometen los padres a la hora de responder a sus hijos.

Si te fijas bien, verás que todos ellos los cometen con la buena intención de ayudarte, pero en la práctica se viven como un obstáculo para la comunicación:

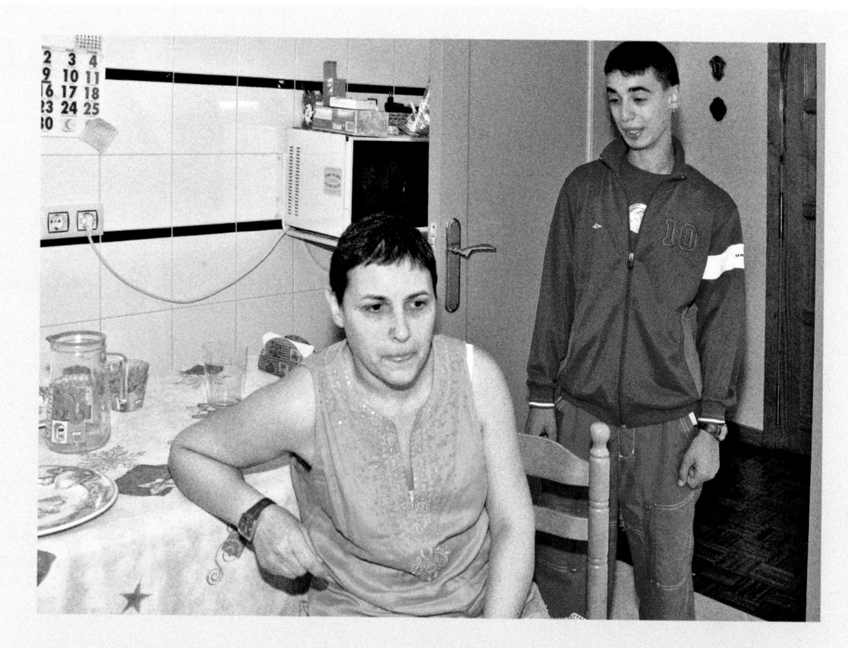

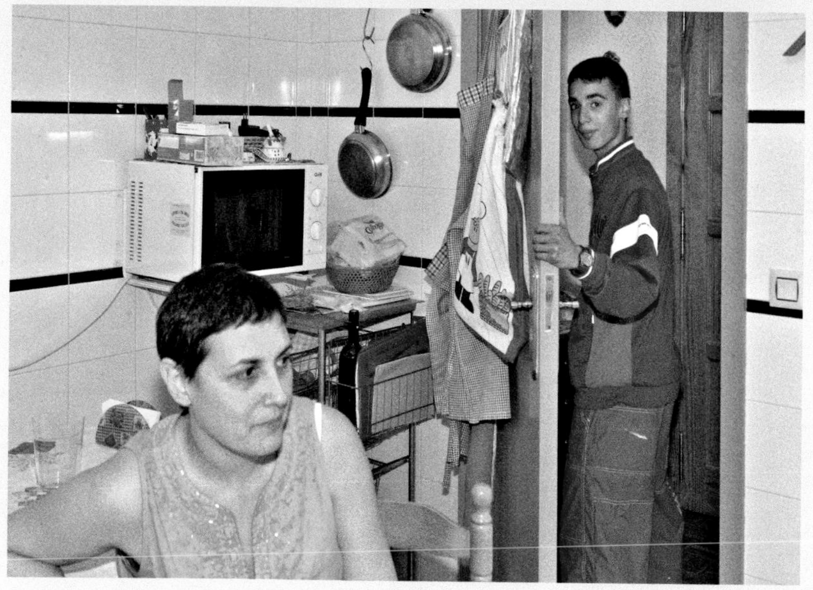

Los tres obstáculos de la comunicación

Obstáculo 1: **Apresurarse a ofrecer una solución.** A veces los padres, con la mejor voluntad, tratan de ofrecerte una solución muy simple y sin consistencia. Creen que con ello te contentarán y te quedarás tranquilo. Es el caso de María, una chica de quince años, que acaba de tener una fuerte discusión con Ana, su mejor amiga. Siente la necesidad de sacar sus sentimientos y su temor de ruptura con ella. Su madre trata de zanjar el tema sencillamente: "No te preocupes, si no volvéis a quedar es su problema, hay muchas más chicas con las que puedes salir". La conclusión es que María se siente incomprendida.

Obstáculo 2: **Crítica constructiva precipitada.** Con afán de ayudarte, los padres te hacen una crítica constructiva de forma precipitada ante un problema en el que están en juego tus sentimientos. Rodrigo ha cambiado de colegio y tiene problemas con sus nuevos compañeros de clase, no acaba de sentirse integrado. Su padre le hace una crítica para ofrecerle una interpretación de su situación sin haber escuchado sus vivencias: "Deberías ser más humilde, cuando uno llega a un sitio nuevo, debe acomodarse a lo que encuentra". Rodrigo siente que su padre no se ha molestado en conocer su punto de vista y sus opiniones.

Obstáculo 3: **Restar importancia a las emociones.** Muchas veces los padres creen ayudar a sus hijos adolescentes buscando alternativas sin saber que el chico ya las conoce y lo que necesita simplemente es que alguien le escuche y dé importancia a sus emociones. Cuando Raquel llegó con un suspenso en filosofía a pesar de las horas que le había dedicado y de lo que le gustaba el tema, no precisaba una respuesta tan obvia como la que le dio su madre: "No te preocupes tanto, puedes recuperar". Realmente necesitaba que alguien comprendiera su desilusión y su abatimiento.

▸▸▸ En resumen, tus padres pueden haberte comprendido muy bien cuando eras un niño, pero posiblemente no saben desempeñar su papel con un adolescente. Mantén abiertas las vías de comunicación. Para ello, cuéntales (tan amablemente como puedas) cómo te sientes y qué piensas sobre las cosas que ocurren en tu vida.

Tender puentes

Una forma de conseguir que tus padres estén menos inquietos y no se sientan impulsados a preguntarte constantemente es ofrecerles alguna información sobre ti. Esto hace que la comunicación esté "en tus manos".

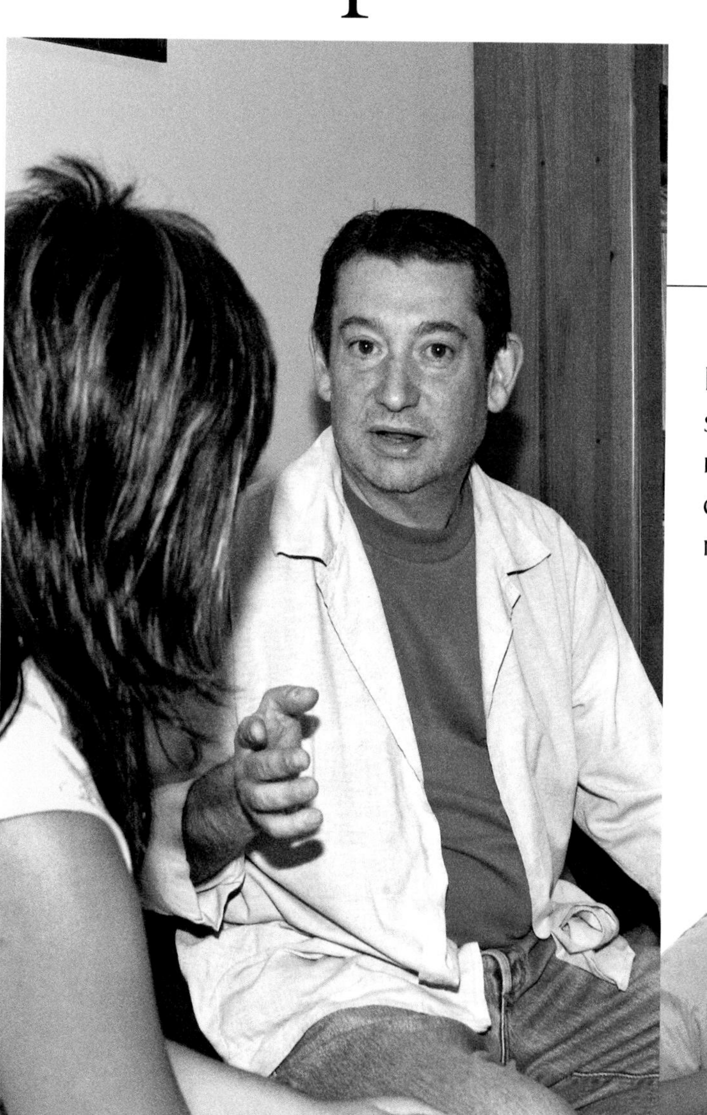

Piensa que cuanto más informados mantienes a los adultos sobre las cosas cotidianas, menos necesitan ellos preguntar. Comunicar las cosas cotidianas tiene otra ventaja: puedes demostrar a tus padres que eres suficientemente sensato, maduro y responsable para tomar buenas decisiones.

Además, vamos a ser claros, contribuyes a rebajar su angustia. No poseer ninguna información sobre lo que haces fuera de casa potencia su capacidad de imaginar cosas y les genera incertidumbre.

Vamos a comenzar haciendo un pequeño test para valorar la capacidad que tienes de tender puentes en la comunicación diaria con tus padres:

- Cuando estoy oyendo música en mi cuarto y mi madre entra a preguntarme algo, bajo el volumen y le presto atención.

SI ☐ NO ☐

- Cuando mi padre habla conmigo no lo interrumpo, primero escucho y luego hablo.

SI ☐ NO ☐

- Al menos una vez a la semana soy capaz de mantener una conversación con uno de mis padres que dure más de quince minutos.

SI ☐ NO ☐

- La mayoría de las veces que hablo con mis padres no terminamos en discusión o gritando.

SI ☐ NO ☐

- Durante las comidas o cenas en que estamos todos reunidos, acostumbro a hablar con mis padres de cualquier tipo de asunto.

SI ☐ NO ☐

- Cuando mi padre o mi madre me regañan por algo, habitualmente soy capaz de prestarles atención sin hacer gestos de disgusto aunque no esté de acuerdo con lo que están diciendo.

SI ☐ NO ☐

- De vez en cuando pregunto a mi madre o a mi padre por cuestiones relacionadas con su trabajo o con la familia.

SI ☐ NO ☐

- Si mis padres me preguntan por los amigos con los que he salido y los sitios donde he estado, suelo darles información aunque no entre en demasiados detalles.

SI ☐ NO ☐

- Cuando tengo alguna duda o algún problema que considero importante en mi vida (estudios, relación con el otro sexo, dudas sobre sexualidad o consumo de alcohol y drogas, etc.) suelo hablarlo con mis amigos pero normalmente también lo hago con mis padres.

SI ☐ NO ☐

Veamos los resultados:

a) Si has tenido siete o más respuestas afirmativas: la comunicación con tus padres es bastante fluida.

b) Si has tenido entre cuatro y seis respuestas afirmativas: tienes que hacer esfuerzos para mejorar tu comunicación con ellos.

c) Si has tenido entre cero y tres respuestas afirmativas: existen claras dificultades en vuestra comunicación y deberías plantearte seriamente cómo mejorarla. En este libro encontrarás algunas sugerencias para lograrlo.

Lograr una buena comunicación no será siempre fácil. Puedes frustrarte algunas veces pero intenta no dejarlo. A tus padres, que están acostumbrados a tomar todas las decisiones sobre ti, puede llevarles un tiempo adaptarse a una persona que tiene pensamientos y opiniones independientes. Sin embargo, piensa que los padres tampoco quieren ver sufrir a sus hijos si las elecciones que tomaron ellos mismos no son las más correctas.

Por otro lado, a muchos padres les parece más fácil controlar ellos algunas situaciones, sin contar con el punto de vista de sus hijos adolescentes, simplemente porque piensan que sus años de experiencia les coloca en una posición mejor para tomar decisiones.

Esta autoridad que ejercen los padres, por tener mayores recursos y experiencia, debe ser vista como algo natural. Si crees que es el caso de los tuyos, habla con ellos sobre el tema.

Plantéales que puede ser compatible su deber de ser autoridad con permitir tu desarrollo teniendo mayor autonomía, más libertad, tomando tus propias decisiones...

▸▸▸ En consecuencia, toma la iniciativa y da el primer paso: no esperes a que tus padres lean tu mente, cuantas más conversaciones inicies o más abierto estés a sus demandas, más probabilidades tendrás de alcanzar una buena comunicación con ellos.

Elegir las batallas

Un aspecto muy importante que debes evitar es hacer una montaña de un grano de arena o tormentas en un vaso de agua. Sabes a qué nos referimos, pues seguro que a ti también te resulta curioso que muchas discusiones con tus padres se centren en problemas cotidianos y concretos relacionados con la limpieza de la habitación, la forma de vestir o la paga semanal.

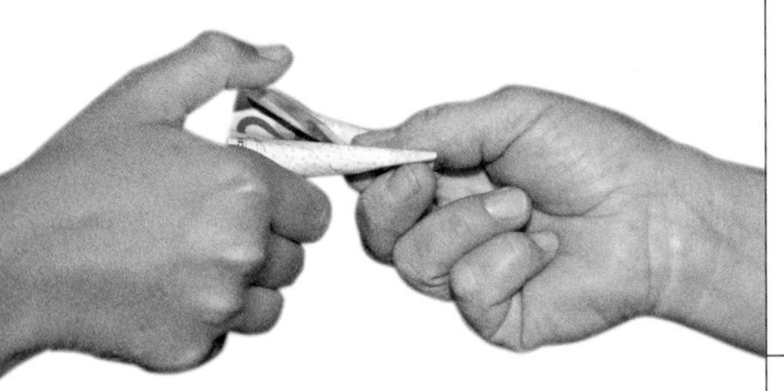

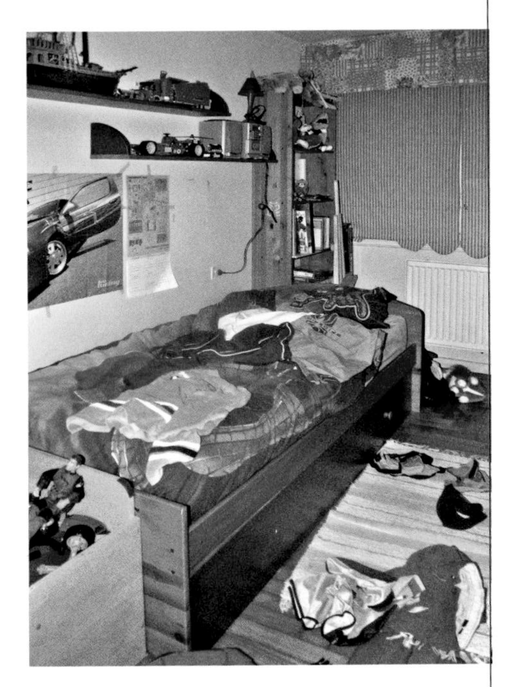

De hecho, si lo piensas detenidamente, ahora te parecerá ridículo el motivo que desencadenó la última discusión que tuviste con tus padres.

Lo cierto es que la mayoría de los enfados son por motivos a primera vista muy pequeños: ¿Por qué? Pues, cada uno saca sus razones y las convierte en un tema fundamental: los adolescentes se enfadan porque sienten que los padres no les respetan y porque no les dan margen para hacer lo que quieren, y los padres se enfadan porque no están acostumbrados a no tener el control de la situación.

A eso se une que todos estos problemas se van acumulando y provocan emociones muy negativas en ambas partes.

▸▸▸ No crees un conflicto por cualquier cosa que te moleste y que sabes que debes hacer. Elige las cuestiones realmente importantes para discutirlas seriamente con tus padres. Evitarás disgustos y, a la larga, un ambiente tenso en tu familia.

Además, es frecuente que unos y otros os sintáis heridos en vuestros sentimientos y sufráis de forma exagerada cuando aparecen estos conflictos. Así, se crea la "espiral de las ofensas" que hace de un tema menor un auténtico drama familiar.

Por eso es necesario elegir bien las "batallas" reduciéndolas a las cuestiones que son realmente importantes para tu vida y tu desarrollo. Antes de comenzar una discusión, es conveniente pararse, tomarse tiempo y pensar:

¿Qué voy a conseguir con esta discusión?

¿Merece la pena comenzar una pelea por esto?

¿No es más razonable ceder y negociarlo?

Es diferente cuando surgen temas más complicados como el tipo de amigos que tienes o tus actitudes hacia el otro sexo y las salidas nocturnas. Estos temas son más delicados porque provocan mucho temor en tus padres y ante ellos intentarán protegerte. Los trataremos más adelante.

Saber decir las cosas…

"¡Eres un desastre!", "No se puede contar contigo, siempre nos fallas". "Como sigas así, serás un desgraciado toda tu vida".

Habrás observado que muchas veces parece imposible hablar en casa sin utilizar acusaciones y críticas a los demás. Esto pasa en tu familia y en todas. Las personas tenemos dificultades para comunicar nuestros pensamientos, emociones y sentimientos sin ofender o amenazar a otros.

"En esta casa nadie me entiende, soy un estorbo para vosotros". "Sois unos carrozas y sólo me siento comprendido por mis amigos".

▸▸▸ Saber decir "no", pedir un favor, reaccionar ante una crítica o expresar tus sentimientos es importante, pero además hay que hacerlo de una manera adecuada sin ofender ni amenazar a los demás. Si no lo hacemos correctamente será difícil conseguir nuestro objetivo, que no es otro que producir un cambio, y además deterioraremos las relaciones.

Para que la forma de manifestar tus disgustos o hacer tus críticas sea eficaz y consigas los efectos deseados, hay que tener en cuenta lo siguiente:

- Describir la situación en que se produce la conducta que te disgusta. "No me gusta que me regañes así cuando están delante mis amigos".
- Describir la conducta que te desagrada. "Me sueltas la charla y no me das ocasión de exponer mi punto de vista".
- Expresar cómo te sientes. "Me siento humillado y avergonzado ante los demás, como si fuera un niño pequeño".
- Pedir cambios concretos de esa conducta. "Me gustaría que estas críticas me las hicieras cuando estemos tú y yo a solas".
- Reconocer y valorar los cambios, por pequeños que sean. "Cuando llegué con María y empezaste a regañarme, te diste cuenta enseguida de la cara que te ponía y cambiaste de tema. Me quitaste un peso de encima".

Además de saber hacer críticas es muy importante saber responder adecuadamente a las críticas que recibes. Veamos a continuación algunos ejemplos de cómo responder adecuadamente a una serie de frases acusatorias que puedes recibir de tus padres. Actuar así te evitará conflictos y favorecerá el entendimiento con ellos.

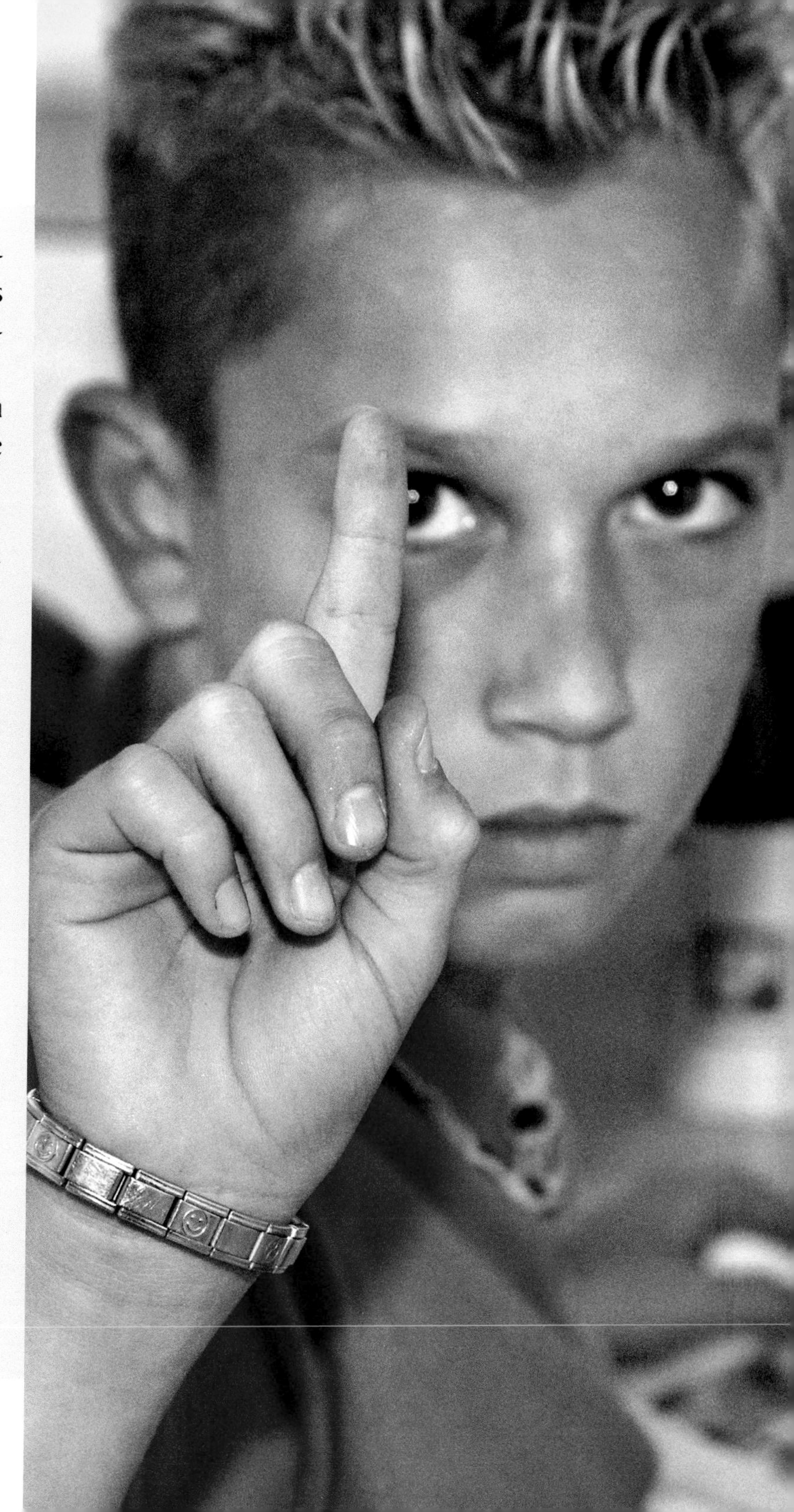

SPIRIT

Padre: "Siempre llegas tarde, estoy harto de repetírtelo".
Daniel: "Comprendo cómo te sientes y tienes razón porque me lo habías dejado muy claro, la próxima vez intentaré llegar más puntual".

Madre: "No has hecho el recado que te encargué, lo que ocurre es que eres una egoísta y sólo te preocupas por ti misma".
María: "Siento haberte disgustado, tenía previsto pasar a recoger el paquete al salir de clase pero reconozco que me fui charlando con Jorge hacia la parada del bus y me olvidé; sin embargo, sabes que sí suelo tener en cuenta lo que me encargas".

Padre: "Has vuelto a fallarme, no puedes ser siempre un niño, tienes que crecer aunque te cueste".
Jorge: "Comprendo lo que sientes, pero también tienes que entender que para mí crecer significa tomar decisiones de acuerdo con mis principios, y hacer lo que me proponías va en contra de mis principios. Creo que puedo hablarte así porque me entenderás".

Madre: "Nunca cuentas con nosotros cuando tienes que decidir algo, parece que sólo te importan tus 'amigotes'".
Juan: "Comprendo que os sintáis mal por no haberos pedido vuestra opinión, pero sabéis que la mayoría de las veces sí os tengo en cuenta. Os prometo que en el futuro os consultaré más".

Madre: "No me tienes en cuenta porque ya no me quieres como antes".
Pedro: "Sabes que te quiero, pero pienso que tengo derecho a tener mis propios criterios y que no deberías obligarme a hacer algo que no deseo".

▸▸▸ Como adolescente, tienes la capacidad de autoafirmar tus propios derechos, tus opiniones y tus sentimientos. Pero debes hacerlo de forma adecuada, sin amenazar y ofender a tus padres ni entrar en discusiones estériles ante las críticas que recibas de ellos.

...y saber escucharlas

Tan importante como expresar adecuadamente lo que piensas y sientes es saber escuchar, lo que se suele llamar "escucha activa".

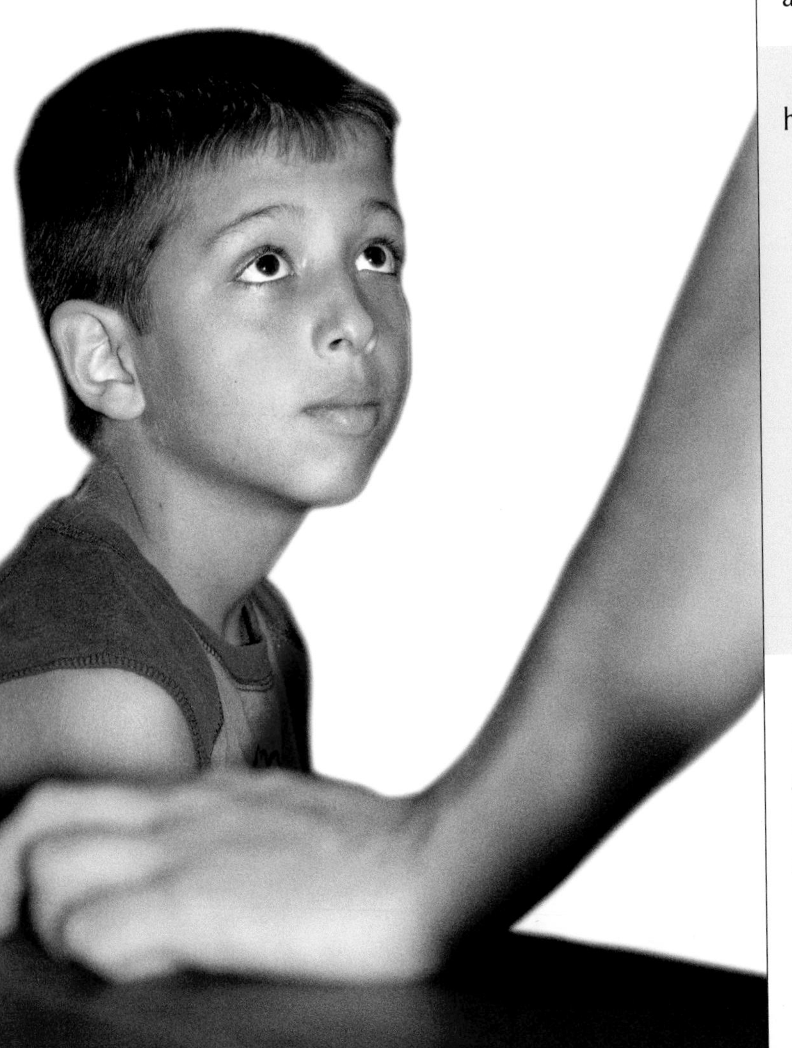

Tienes que demostrar a tus padres que les estás prestando atención y que te interesa lo que te están diciendo. Esto puede hacerse con manifestaciones corporales y con gestos más que con lo que decimos, aunque a veces son útiles algunas expresiones cortas.

Te sugerimos algunas pautas de actuación para hacerlo con éxito:

- Céntrate en el tema del que estáis hablando.
- Evita interrumpir al otro y déjale que termine de expresar sus ideas.
- Obsérvale para saber el momento en que quiere que intervengas.
- Mantén el contacto visual (mírale de frente a los ojos) y adopta una postura correcta.
- Envíale mensajes con gestos o palabras para demostrarle que le estás escuchando y te interesa lo que dice.
- Pregunta cosas que no has entendido o que no ves muy claras.

Si prestas atención a tus padres y les escuchas con la intención de comprenderles, conseguirás que se sientan aceptados y ganarás su confianza. Además, lograrás tratar en profundidad cualquier tema y reforzarás los lazos afectivos con ellos.

Mostrar tu desacuerdo sin perder el respeto

En cualquier caso, tienes que pensar que los padres son también humanos y se pueden sentir ofendidos cuando sus opiniones son constantemente retadas.

De hecho, muchas veces los padres toman el desacuerdo de sus hijos como algo personal. Esto se da sobre todo si tú les estás cuestionando valores que ellos ven importantes, como ideas políticas o convicciones religiosas.

Entonces, ¿qué puedes hacer cuando tus planteamientos suponen un enfrentamiento? Pues, aunque parezca muy simple, la fórmula es "mostrar tu desacuerdo sin perder el respeto".

Usar un lenguaje y comportamiento respetuosos en tus relaciones diarias es muy importante. Podríamos asegurar que si resistes la tentación de usar el sarcasmo, gritar o interrumpir a tus padres, tendrás más oportunidades de conseguir lo que quieres.

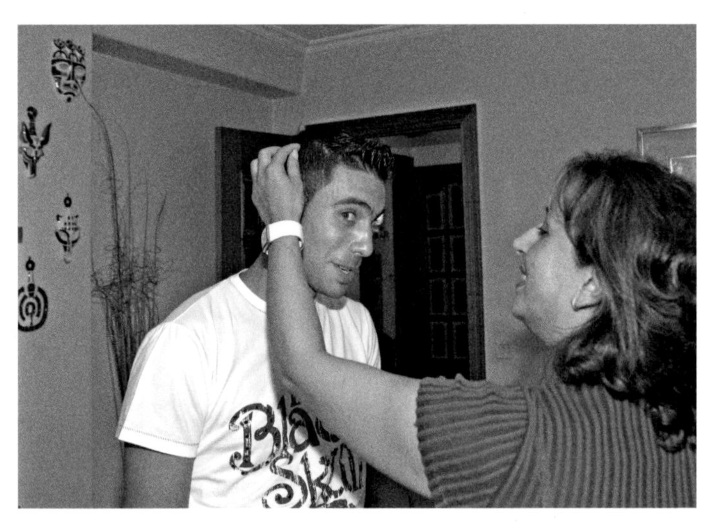

La comunicación no-verbal refuerza el lenguaje respetuoso y demuestra que quieres decir lo que dices y no otra cosa. Si eres considerado y amable hacia tu familia en tus acciones diarias, eso demuestra respeto y favorece el que puedas tener credibilidad en aquellas ocasiones en las que tú estés en desacuerdo. Además, actuar respetuosamente demuestra madurez y es más probable que tus padres piensen que su hijo ha crecido y te vean, por tanto, más capaz de tomar decisiones importantes.

Por supuesto, algunos padres son mejores que otros a la hora de ayudar a sus hijos para que se comuniquen bien. Los padres pueden ayudar escuchando y respetando el punto de vista del adolescente, incluso si éste es opuesto al suyo. Si tus padres no parecen estar en la misma línea que tú, puedes mostrar tu desacuerdo de forma constructiva teniendo en cuenta las siguientes recomendaciones.

Consejos para una crítica constructiva

I No hacer de ello una cuestión personal. Si estás disgustado, intenta recordar que estás furioso con la idea o concepto que tus padres están defendiendo, no con ellos como personas. Es muy distinto decir "estoy harto de ese planteamiento" que "estoy harto de ti".

I Evitar despreciar o descalificar las ideas y creencias de tus padres. En vez de decir "eso es una idea estúpida" o "eso no tiene ningún sentido", trata de decir "no estoy de acuerdo, y no lo estoy porque…".

I Usar mensajes "yo" para comunicar cómo te sientes, lo que piensas y lo que necesitas y quieres. Usar afirmaciones desde el "yo" suena más a argumento. Por ejemplo: decirle a tu padre o a tu madre: "tú siempre me pides que recoja mi habitación los miércoles cuando sabes que tengo más deberes", es muy diferente al tono de "yo me siento presionado porque tengo mucho trabajo esta tarde, ¿no te importa que haga esa tarea mañana?"

I Escuchar desde el punto de vista del otro. Si ensayas esto, es más probable que tu padre o tu madre te escuche. Si comienzas diciendo: "Yo comprendo que llegar de trabajar y ver el salón desordenado no es muy agradable, pero…", ellos estarán menos a la defensiva que si lo haces entrando a justificarte sin más.

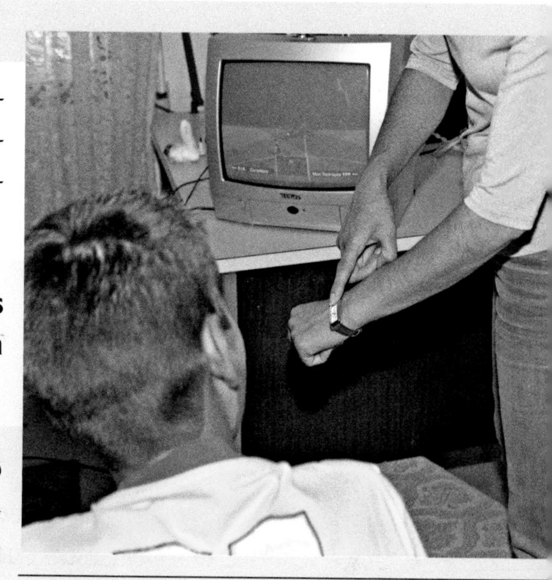

Frente a la creencia general, el problema en la comunicación con tus padres no es la existencia de desacuerdos. Estos son lógicos y necesarios. Lo importante es la forma de afrontarlos y resolverlos: dándoles una interpretación positiva, desde la confianza y el respeto, facilitando espacios de comunicación y buscando alternativas positivas para ambos.

Expresar tus emociones y tus sentimientos

¿Te ocurre alguna vez que te enfadas o irritas con facilidad sin que el motivo sea tan importante? ¿O que cambias de humor y te sientes triste sin saber muy bien por qué? ¿Por qué estos cambios tan bruscos? ¿Afectan también a la comunicación con tus padres?

Sin duda, estos cambios de la tristeza al enfado y de vuelta a la alegría son habituales en la adolescencia y, sobre todo, en la primera etapa. Cuando hablábamos de la pubertad, decíamos que el cuerpo comienza a producir hormonas. Éstas causan cambios físicos en el cuerpo pero también producen cambios emocionales.

Por otra parte, tener que hacer frente a tantos cambios y presiones constantes como sufres en esta etapa te produce la sensación de desbordamiento y de falta de control.

Además, si ser adolescente significa luchar por la identidad y la imagen de sí mismo, ser aceptado por los demás se convierte en algo importantísimo. Pero a la vez que quieres estar sólo y hacer tus propias elecciones con las personas, puede resultarte abrumador sentirte distanciado de antiguos amigos y de tus padres. Estas contradicciones tal vez te pro-

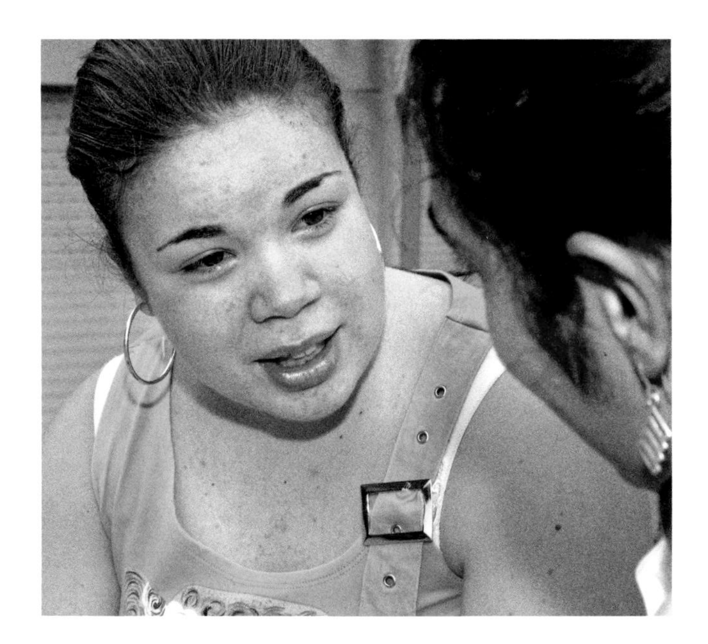

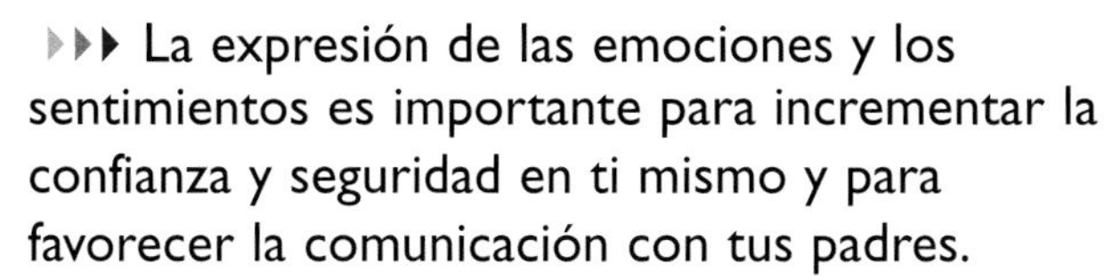

▸▸▸ La expresión de las emociones y los sentimientos es importante para incrementar la confianza y seguridad en ti mismo y para favorecer la comunicación con tus padres.

duzcan una sensación de pérdida de control y de confusión. Y esto, sin duda, puede ser un auténtico obstáculo en la comunicación.

Por todo ello, es muy importante que expreses tus emociones y tus sentimientos en la familia. Si no, es probable que vayas acumulándolos internamente y acaben saliendo de golpe, de forma intempestiva, e interfieran en la comunicación con tus padres, como veíamos anteriormente.

En consecuencia, debes expresar tus emociones y sentimientos porque:

- La expresión de los sentimientos te da confianza en ti mismo.
- Si los reprimes, sólo conseguirás mayor ansiedad y estrés.
- Es la única forma de que tu familia conozca lo que sientes, quieres y te preocupa.
- Favorece que los otros miembros de la familia también los expresen y refuerza la comunicación.

Por supuesto, también debe quedar claro que tienes derecho a tu privacidad y a reservar para ti mismo o para las personas que elijas tus sentimientos más íntimos.

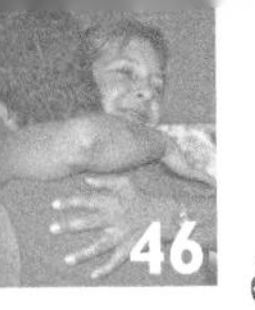

¿Cómo plantear asuntos difíciles?

Te han castigado y han estado a punto de expulsarte del colegio. Un amigo muy íntimo ha sido detenido por robar en unos grandes almacenes. Tu mejor amiga se ha quedado embarazada con sólo dieciséis años. Te has emborrachado en el último fin de semana y uno del grupo ha sido ingresado en un hospital por intoxicación etílica...

Hay veces que necesitas la ayuda de tus padres ante ciertas situaciones que te desbordan. Sientes que necesitas consejo, orientación o simplemente que te escuchen porque no sabes manejar las emociones o asumir una experiencia muy fuerte.

Plantear estos asuntos tan sensibles a los padres puede ser difícil, pero casi siempre tus padres te conocen más de lo que tú te crees. Los adolescentes que ya han entablado buenos hábitos de comunicación con sus padres tendrán más fácil hablar con ellos sobre estos temas tan difíciles.

De todos modos, lo primero que debes hacer es analizar y exponer el problema de un modo objetivo y global. A continuación, recogemos algunos de los errores más habituales que suelen cometerse a la hora de exponer problemas delicados y que tú puedes evitar.

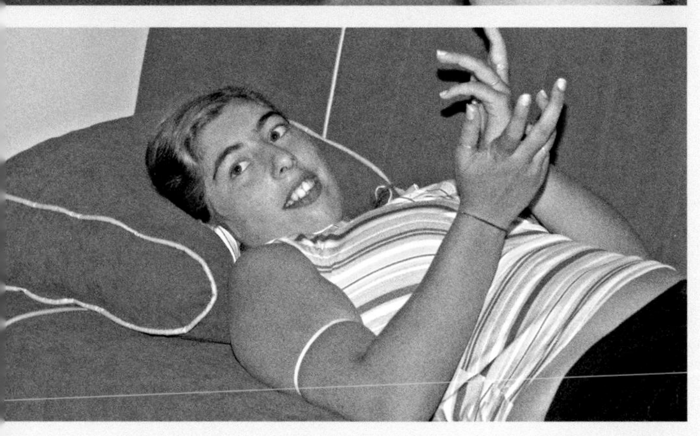

Errores más frecuentes ante situaciones problemáticas

1. **La visión de túnel.** Tiendes a ver solamente un aspecto del problema que exageras o distorsionas al no expresar los otros aspectos que lo explicarían mejor porque permitirían apreciar una visión de conjunto.

2. **Pensamiento dicotómico.** Percibes el problema en términos de "blanco o negro", cuando sabes que las cosas siempre son relativas y cualquier tema que analices está lleno de "grises".

3. **Fatalismo.** No aceptas que el problema tenga una solución y adoptas posiciones de pasividad o desánimo. Sólo si partes de que los problemas son resolubles, puedes empezar a buscar una solución.

4. **Confusión de los pensamientos y las emociones con la realidad.** Muchas veces tratamos de que las cosas sean tal y como nosotros las pensamos o las sentimos y no como son en la realidad.

▸▸▸ Para superar estos errores y poder abordar adecuadamente un tema difícil, te sugerimos algunas estrategias que te permitan aproximarte a tus padres.

Estrategias para abordar un tema delicado

I Planea con tiempo lo que quieres decir. Pensar el asunto de antemano o escribir notas te ayudará a manejar mejor la conversación. Escribe las tres cosas más importantes que quieres que sepan tus padres. Muchos adultos utilizan esta técnica también pues es muy buena para focalizar y priorizar la conversación sobre lo que es verdaderamente importante. También puede que tengas ideas sobre cómo será la reacción de tus padres y puedes planear la respuesta más efectiva.

I Hazles saber de forma directa que hay algo sobre lo que te gustaría discutir. Para estar seguro de que tienes su total atención, sé directo y claro en el lenguaje. Di algo de este tipo: "Hay un asunto muy importante sobre el que me gustaría hablar con vosotros". No caigas en la tentación tan común de plantearlo con ligereza: "¡Eh! A ver si hablamos de una cosa cuando tengas un rato".

Por supuesto, si el tema que quieres plantear es una emergencia que requiere una respuesta muy rápida, necesitarás que el encuentro se produzca muy pronto. Prepárales para la conversación diciéndoles que necesitas que te presten su atención sobre algo que es urgente.

▸▸▸ La ayuda de tus padres es imprescindible ante los problemas difíciles, pero es conveniente que les plantees el tema de un modo preciso y en el momento indicado.

I Elige un buen momento para hablar. Intenta aproximarles a un momento en que sepas que ellos están poco ocupados para que sean más capaces de focalizar su atención sobre ti. Puedes incluso preguntar si ellos quieren fijar alguna hora en particular.

I Escríbelo. Algunas personas encuentran más fácil poner sus ideas en una carta. Permítele a otra persona leerlo y luego poder discutirlo.

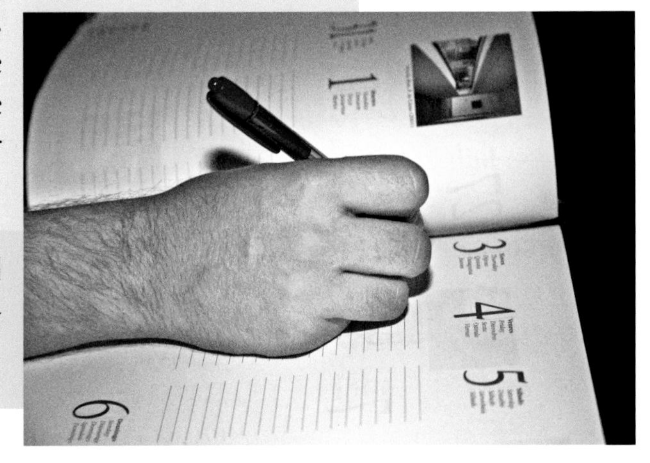

Hablar con otros adultos

No importa lo buenas que sean las relaciones con tus padres, habrá veces que te sentirás más cómodo hablando o pidiendo ayuda a otros adultos de tu entorno.

Si prefieres no preguntar a tus padres sobre un tema en particular o simplemente te gustaría hablar con alguien más, hay siempre otros recursos.

La mayoría de los adultos mantendrán la confidencialidad de tus conversaciones si se lo pides, a menos que teman que tu salud y tu bienestar puedan estar en peligro.

Si estás teniendo problemas con amigos, con los estudios, con tus profesores, con tus padres... considera la posibilidad de hablar con el tutor o con el psicólogo del colegio.

Igualmente, en muchos ayuntamientos y comunidades autóno-

mas hay servicios de información y orientación que ofrecen apoyo psicológico. Estas personas están preparadas para hablar privadamente contigo y para proporcionarte ayuda en este tipo de situaciones.

De igual modo, es interesante recurrir a ellos para hacerles preguntas sobre cuestiones sexuales, sobre drogas, violencia o de cualquier otro tipo.

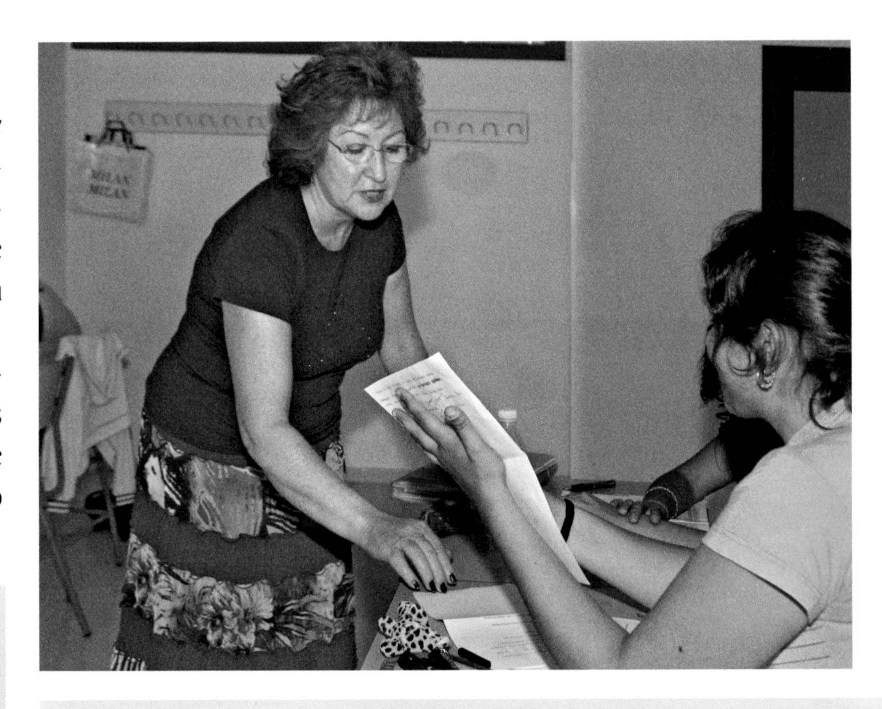

Otros miembros de la familia, como un tío, un hermano más mayor, un abuelo, pueden ayudarte y aportarte conocimientos y apoyo.

También puedes recurrir a los padres de un buen amigo. Además, ellos también pueden ayudar a tus padres ante el miedo que les suscitan ciertos temas como las citas con el otro sexo o quedarte a dormir en casa de un amigo.

Otras vías son los profesores o monitores de actividades extracurriculares o, si acudes habitualmente a la iglesia, un sacerdote.

▸▸▸ Incluso, aunque prefieras hablar con tus amigos, hay veces que hablar con los padres o con algún otro adulto es necesario.

Si sientes cualquier tipo de peligro o amenaza, hablar con un adulto responsable y de confianza es importante porque siempre te podrá aportar otro punto de vista desde su mayor experiencia. De igual modo, si estás preocupado por un amigo que está metido en un problema serio, no tengas miedo de complicarle la vida. Esperar el "buen momento" puede ser demasiado tarde.

Piensa, por ejemplo, en un joven que tenga un problema de anorexia, que sea víctima de abusos sexuales o malos tratos, que se sienta acosado en el colegio…. El adulto, además de la experiencia, puede ser capaz de dar con la persona adecuada o con el mejor recurso para ayudarle.

▸▸▸ Otros adultos (familiares, tutores, psicólogos…) pueden ser de gran utilidad para afrontar problemas delicados que estás viviendo tú o cualquiera de tus amigos más cercanos.

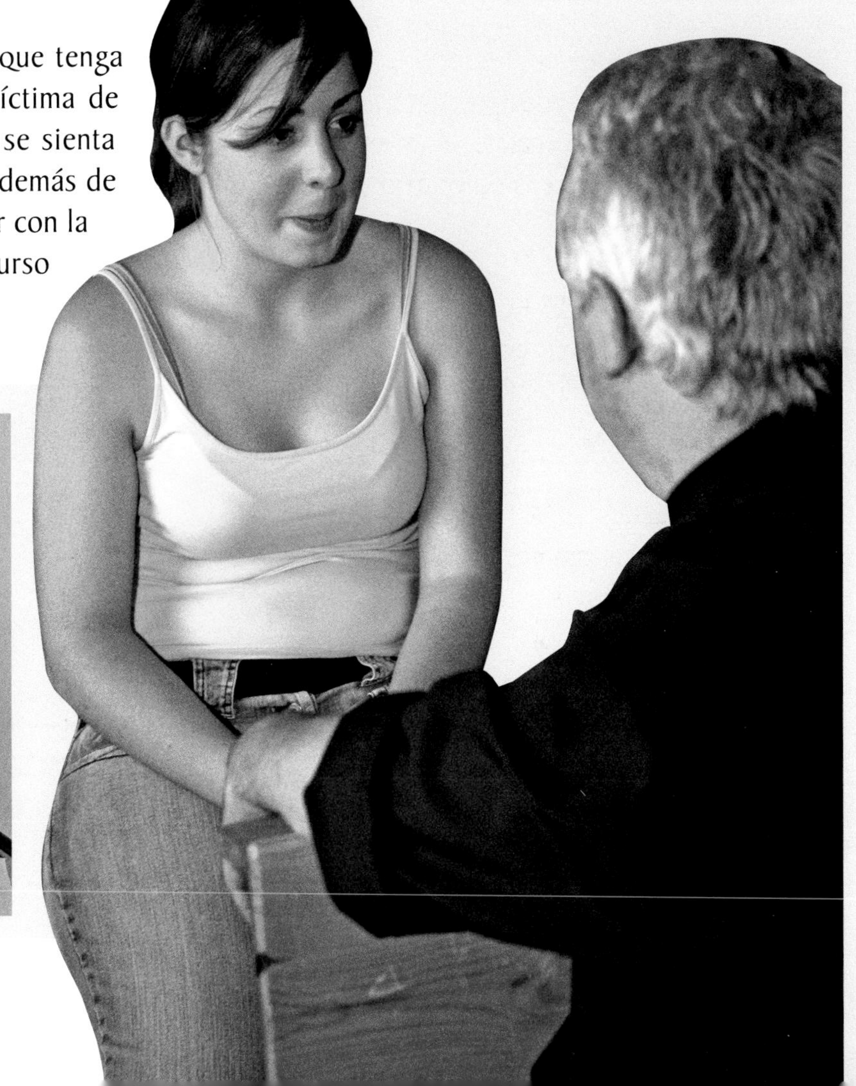

Algunas ideas para recordar

Si eres un adolescente o estás a punto de comenzar esta etapa, no hagas caso de las visiones negativas que hayas oído sobre la adolescencia. Más que en cualquier otro momento de tu vida, ahora tienes un mundo lleno de expectativas y posibilidades por delante.

Es verdad que los años de la adolescencia están llenos de cambios y que estos cambios te acarrearán dificultades, pero también es verdad que, sobre todo, te aportarán lo que necesitas para madurar y ser feliz, ahora y en el futuro.

Algunas veces puede parecerte imposible que algún día llegues a entenderte con tus padres, pero piensa que hablar y expresar tus opiniones y sentimientos de forma adecuada puede ayudarte a ganar su respeto y su comprensión.

La mejor noticia que podemos darte es que en la mayoría de las familias las discusiones van disminuyendo cuando los padres se sienten más cómodos con la idea de que su hijo adolescente tiene derecho a tener unas opiniones y una identidad diferentes de las suyas. Esto puede llevar algún tiempo, hasta que ellos y tú os ajustéis a los nuevos papeles que tenéis que desempeñar. Mientras tanto, trata de comunicarte con tus padres lo mejor que puedas y sepas.

De todos modos, piensa que es precisamente en los momentos de crisis cuando los vínculos entre muchos padres y adolescentes se hacen más sólidos.

Debes tener en cuenta que no existen fórmulas mágicas para hacer la vida más fácil, pero tener una familia que te apoye y una buena red de amigos durante la adolescencia permitirá que aproveches este periodo con éxito.

Y, para concluir, sólo nos resta desearte que disfrutes los buenos momentos de esta etapa, que aprendas de las situaciones difíciles que se te presenten y que busques ayuda cuando la necesites.